D0610726

RD
ACC. No: 03059450

BYD Moi Misho
Fiona Wynn Hughes

Gwasg Gwynedd

Argraffiad Cyntaf — Tachwedd 2012

ISBN 978 0 86074 286 9

Mae'r cyhoeddwyr yn cydnabod cefnogaeth ariannol Cyngor Llyfrau Cymru.

Darluniau: Graham Howells

Cyhoeddwyd gan
Wasg Gwynedd, Pwllheli

Cynnwys

1

Moi Misho yn y steddfod

'Un bach mishi fydd hwn, gei di weld,' meddai nain Moi un tro wrth geisio rhoi llwyaid arall o lobsgows i'r bachgen bach dyflwydd oed.

'Na fydd, siŵr,' meddai mam Moi, yn amddiffyn ei chyw melyn cyntaf.

Ond buan y sylweddolodd pawb mai Nain oedd yn iawn. Erbyn i Moi gyrraedd ei bump oed, mi *oedd* o'n fachgen bach 'mishi'.

Ddim isio hyn, ddim isio'r llall. Byth a hefyd yn dweud pethau fel: 'Dwi MISHO bwyta pys. Dwi MISHO mynd am dro. DWI MISHO BATH!'

Does dim rhyfedd i'r teulu ddechrau ei alw'n 'Moi Misho', nagoes? A Moi Misho ydi o byth.

Erbyn ei ben-blwydd yn saith oed, nid yn unig roedd Moi yn un bach ffyslyd ond roedd o hefyd yn dipyn o lond llaw i'w rieni. Druan o'i chwiorydd, Anwen Awst a Martha Mai!

* * *

Roedd hi'n hanner tymor, a mam Moi wrthi'n brysur yn gwrando ar Anwen a Martha yn ymarfer llefaru ar gyfer y steddfod leol. Am ddiflas, meddyliodd Moi.

Wrth gwrs, roedd ei fam wedi cynnig ei ddysgu yntau hefyd.

'Wyt ti am adrodd yn y steddfod tro 'ma, Moi?'

‘Dim ffiars – dwi misho!’ oedd ateb pendant Moi.

Ddim ar ôl y tro diwethaf. Roedd o’n cofio hynny’n iawn.

Roedd ei fam wedi mynnu ei wisgo mewn crys stiff, lloerig a throwsus brown, hyll. Roedd ei nain wedi cribo’i wallt i un ochr, yn henffasiwn i gyd. Pan welodd Moi ei ffrindiau’n chwerthin am ei ben, penderfynodd fynd i’r lle chwech i newid steil ei wallt funudau cyn ei fod i lefaru ar y llwyfan.

‘Ydi Moi Mawrth yma? Mae’r gystadleuaeth ar fin dechrau,’ meddai’r llais pwysig o’r llwyfan.

Roedd Rhiannon, ei fam, yn dechrau teimlo’n swp sâl.

A dyma Moi yn cyrraedd y llwyfan o’r diwedd. Ond roedd ei wallt yn wlyb, ac yn bigog fel draenog! Ac roedd ei grys yn wlyb domen. Wrth iddo agor y tap yn nhoiledau'r bechgyn, roedd rhaeadr anferthol o ddŵr wedi llifo allan a rhoi cawod a hanner iddo. A doedd dim amser wedyn i wneud mwy na rhoi crib yn sydyn trwy'i wallt cyn rhedeg nerth ei draed am y llwyfan.

'A dyma fo, Moi Mawrth, wedi penderfynu ymuno â ni o'r diwedd,' meddai Waldo Griffiths, arweinydd y steddfod. 'Bobol bach! Mae'n amlwg fod Moi wedi penderfynu mynd am gawod cyn dod i'r llwyfan.'

Dechreuodd y gynulleidfa chwerthin. Waldo Griffiths a'i geg fawr! Gallai Moi weld ei ffrindiau'n chwerthin yn y tu blaen. Cochodd at ei glustiau.

Er yr holl bantomeim, llefarodd Moi yn hyfryd a chael y wobr gyntaf. Ond gwrthododd fynd i nôl ei wobr.

'Dwi MISHO nôl gwobr gan y Waldo Wirion 'na,' meddai.

Ar ôl hynny, dywedodd na fyddai byth yn mynd ar gyfyl 'run llwyfan eto. BYTH BYTHOEDD.

Ac roedd Moi'n benderfynol o ddial ar yr hen Waldo Wirion 'na ryw ddiwrnod. Rhag ei gywilydd o – yn codi cywilydd arno o flaen ei ffrindiau fel'na!

Un diwrnod yn ystod gwyliau'r hanner tymor, doedd gan Moi ddim byd i'w wneud. Roedd ei fam a'i chwiorydd yn brysur efo'r ymarfer llefaru, a'i dad yn y gwaith. Am ddiwrnod diflas! Aeth i lofft ei chwaer, a gweld bod popeth yn y llofft calonnau coch mewn trefn.

'Moi! ALLAN!' bloeddiodd llais awdurdodol Anwen y tu ôl iddo, cyn iddo gael cyfle i weld dim byd arall.

Yna aeth i lofft ffrils pinc ei chwaer ieuengaf, Martha Mai. Roedd Moi'n dotio at y ffordd roedd popeth yn daclus yn fan'ma hefyd, yn enwedig y doliau. Roedd pob un yn eistedd ar silff uchel a'i gwallt wedi'i gribo nes bod pob blewyn yn ei le. Y doliau yma oedd byd Martha Mai. Doedd hyd yn oed Mam a Dad ddim yn cael bodio'r rhain.

Bob nos Sul, ar ôl cael bath, byddai Martha'n diflannu i'w llofft i frwsio gwalltiau'r doliau, ac yna'n rhoi cusan i bob un ohonyn nhw cyn ei rhoi yn ôl ar y silff.

Daeth Moi allan o lofft Martha ac eistedd ar ben y grisiau.

'Moi, dwi am ymarfer y llefaru rŵan. Fasat ti'n hoffi gwrando arna i?' gofynnodd Martha.

'I be faswn i isio gwneud hynny?'

'Plis, Moi.'

'Wna i os ga i'r Minstrels 'na gen ti.'

'Ooo . . . dwn 'im.'

'Eu hanner nhw, 'ta?'

'Ocê, 'ta. Dyma chdi,' meddai Martha,

gan roi hanner ei fferins iddo. Yna rhoddodd Martha bapur i Moi. 'Hwn ydi'r darn.'

Darllenodd Moi y pennill a phan welodd yr enw ar y gwaelod, cododd ei galon. Daeth gwên gyfrwys dros ei wyneb.

'Pryd mae'r steddfod 'ma?'

'Fory,' atebodd Martha Mai'n ddiniwed.

'Deud y gerdd, 'ta,' meddai Moi, gan eistedd ar wely Martha a dechrau bwyta'r fferins.

Fy nghi bach

Neli yw enw
Fy nghi bach i,
Mae'n wyn ac yn fflwfflyd
Ac yn annwyl i mi.

Ar ôl gwrando ar Martha'n llefaru'r pennill fwy nag unwaith, gofynnodd Moi iddi, 'Martha, faint o ddoliau sy gen ti rŵan?'

'Chwech – Sali, Mali, Siwsi, Liwsi, Nia a Mia.'

'Wyt ti'n dal i'w casglu nhw?'

'Yndw. Dwi'n cael un arall ar fy mhen-blwydd.'

'Ond fydd hynny ddim am bedwar mis arall.'

'O. Ydi hynny'n amser hir?'

'Hir iawn iawn, Martha. Ond sut fasat ti'n hoffi i *mi* brynu un i ti yn syth bìn?' gofynnodd Moi iddi.

Edrychodd Martha arno'n gegagored. 'Sut?' gofynnodd yn syn.

Rhedodd Moi i nôl ei gadw-mi-gei. Dangosodd ei holl arian iddi.

'Mae 'na ugain punt fan hyn. Wel? Wyt ti isio dol newydd, 'ta be?'

'Faswn i wrth fy modd, Moi,' atebodd Martha'n fodlon.

'Wel! Dyma sy raid i chdi neud . . .'

Dangosodd Moi ddiddordeb mawr yn llefaru Martha Mai y pnawn hwnnw. Ac am y tro cyntaf erstalwm, roedd o eisiau mynd i'r steddfod.

Roedd pawb wedi gorfod deffro ben bore ac roedd wynebau Anwen a Martha'n sgleinio fel sêr ar ôl molchi, a phob blewyn o'u gwalltiau'n gorwedd yn daclus yn ei le.

Setlodd y teulu yn y bedwaredd res, yn syth o flaen y beirniaid. Eisteddodd Moi yn ufudd a distaw. Pan ddaeth yn amser i Martha Mai gystadlu, rhedodd Martha'n frwd i'r llwyfan. Dyma pryd y penderfynodd Moi fynd i eistedd at ei ffrindiau i'r cefn. Roedd ei fam yn rhy brysur yn paratoi'r camera digidol newydd i sylwi arno'n symud.

'Rwy'n eich trosglwyddo chi nawr i ddyn sydd â phrofiad helaeth o arwain eisteddfodau lleol,' meddai Mona Llewelyn, yr arweinydd a chyfnither i nain

Moi. 'Dyma'r enwog Waldo Griffiths, un o hoelion wyth ein cymdeithas leol. Rhowch glap iddo, gyfeillion.'

A dyma Waldo bwysig, chwyddedig yn camu i'r llwyfan.

'Diolch am eich geiriau caredig. Heb wastraffu dim mwy o amser, mi awn ni ymlaen i'r gystadleuaeth nesaf. Llefaru Blwyddyn Derbyn: "Fy Nghi Bach". Ac fel mae'n digwydd, y fi ydi awdur y gerdd, gyfeillion,' chwarddodd Waldo.

Cafodd yr arweinydd ragor o gymeradwyaeth gan y gynulleidfa, a gwthiodd ei frest allan fwy byth.

Martha oedd y bumed i lefaru. Camodd i flaen y llwyfan yn ei ffrog binc newydd, a'i gwallt melyn yn gyrls golau, angylaidd. Bron y gallech chi glywed y gynulleidfa yn mynd 'Ooooo' wrth ei gweld.

'Pob chwarae teg i Martha,' meddai Waldo'n bwysig.

Roedd llygaid pawb ar Martha wrth iddi lefaru:

Fy nghi bach

Smeli yw enw
Fy nghi bach i,
Mae'n wyn ac yn fflwfflyd
Ac yn hoffi pi-pi.

Tawelwch.

Yna dechreuodd pobl sibrwd.

Dechreuodd y plant chwerthin. Yn ddistaw i ddechrau. Yna'n uchel. Ac yna'n hollol afreolus.

Ond doedd Waldo Griffiths ddim yn chwerthin. Chwyddodd ei frest mewn tymer ddrwg. Roedd ei wyneb wedi troi'n goch, goch a'i wefusau'n denau, denau fel sbageti. Roedd camera digidol newydd sbon mam Martha wedi disgyn ac yn ddarnau mân ar hyd y llawr.

Dechreuodd ceg Martha grynu.

Erbyn hyn roedd Moi wedi sleifio o'i sedd, ac yn trio mynd heibio i'r stiward wrth y drws cefn.

'Chei di ddim mynd allan ar ganol cystadleuaeth, washi,' meddai'r stiward pwysig.

Ond roedd Moi wedi paratoi at hyn y noson cynt. Tynnodd hances o'i boced a'i gosod dros ei drwyn.

'Plis,' meddai Moi, 'mae nhrwyn i'n gwaedu.'

Pan welodd y stiward y smotiau mawr coch ar yr hances wen, agorodd y drws i Moi ar ei union. Teimlai Moi fel y dewin Houdini. Mae'n anhygoel beth mae ffelt pen mawr coch yn gallu'i wneud, meddyliodd. Roedd yn dal i chwerthin pan gyrhaeddodd y toiledau.

Tra oedd Anwen yn ceisio cysuro Martha Mai druan â diod o lemonêd a chacen jam

yn y lle bwyd, roedd ei fam yn chwilio am Moi ym mhob twll a chornel o'r ysgol.

Roedd yn gwybod yn iawn pwy oedd wedi newid pennill Martha Mai fach – O, oedd. A bobol annwyl, roedd hi'n flin! Ond, wrth gwrs, roedd Moi wedi'i hen heglu hi am doiledau'r bechgyn, yn doedd?

Roedd Moi un cam ar y blaen – fel arfer.

2

Moi Misho a'r pnawn mwdlyd

Er ei bod yn fore Sadwrn, cafodd Moi ei ddeffro'n ddychrynllyd o gynnar gan Martha Mai, oedd yn neidio ar ei wely. 'Dos o 'ma, Martha. Dwi MISHO deffro eto,' cwynodd gan ddiflannu dan gynhesrwydd ei gwilt pêl-droed.

'Well i ti godi, Moi,' meddai ei fam gan agor y llenni. 'Diwrnod prysur heddiw.'

Daeth Moi i lawr y grisiau'n gysglyd a'i wallt melyn trwchus fel nyth brân.

''Dan ni'n mynd i'r dre. Dwi'n cael dewis dol heddiw, cofio?' meddai Martha.

Suddodd calon Moi. Roedd wedi gobeithio bod Martha a'i fam wedi anghofio. Dim gobaith! Ar ôl helynt y steddfod, roedd o'n *gorfod* prynu dol i Martha efo'r arian oedd yn ei gadw-mi-gei. Am wastraff, meddyliodd. Gallai'r arian yna brynu Lego neu gêm Nintendo DS!

'Wedyn,' ychwanegodd ei fam, 'rydw i, Anwen a Martha yn cael gneud ein gwalltiau ar gyfer parti pen-blwydd Nain heno 'ma.'

'Dwi misho mynd i'r salon gwallt. No wêêêê!' mynnodd Moi.

'Gei di neud dy wallt yn ddel, Moi,' meddai Anwen, yn tynnu ei goes.

'Cau dy geg!' arthiodd Moi. 'Dwi'm yn mynd!'

Niwsans oedd cael dwy chwaer a dim un brawd! Synhwyrodd eu tad fod helynt ar y gweill.

'Gwranda, Rhiannon,' cynigiodd Myrddin.

'Beth am i ni fynd â dau gar, a finna a Moi ddod adra o'ch blaenau chi?'

'*Dwi* isio dod adra efo Dad hefyd,' dechreuodd Martha swnian.

Edrychodd Rhiannon tua'r nenfwd. Roedd ganddi deimlad na fyddai heddiw'n ddiwrnod hawdd.

O'r diwedd, cychwynnodd y teulu bach am y dref mewn dau gar: Anwen a'i mam yn un car, a Moi a Martha efo'u tad yn y llall.

Rhythai Moi ar bawb a phopeth yr holl ffordd yno. Gallai deimlo'i bwrs llawn ym mhoced ei gôt – pwrs fyddai'n hollol wag cyn bo hir.

'Dwi'n gwbod be fydd enw'r ddoli newydd,' meddai Martha wrtho. 'Mae gen i Sali a Mali, Siwsi a Liwsi, a Nia a Mia yn barod. Dwi newydd brynu Mili efo fy arian Dolig. Felly, enw'r un nesa fydd . . .'

'Sili,' udodd Moi'n bwdlyd.

'Naci, siŵr. Chdi sy'n sili. Lili fydd enw hon,' mynnodd Martha.

Ar ôl cyrraedd y dref, roedd gorfod mynd i mewn i siop oedd yn llawn o bethau ar gyfer genethod yn artaith i Moi. Diolchodd fod Martha'n gwybod yn union pa ddol roedd hi am ei chael. Rhoddodd yntau'r arian yn aruthrol o gyflym i'r wraig y tu ôl i'r cownter, gan ei fod yn ysu am gael dianc o'r siop felltith. Yn anffodus i Moi, mynnai'r ddynes lapio'r ddol yn ara deg bach mewn papur lliw. Dim ond gobeithio na fyddai un o fechgyn yr ysgol yn ei weld.

O'r diwedd, cawsant adael y siop. Martha Mai yn wên o glust i glust, a Moi a'i geg yn gam.

Yna fe aethon nhw'n syth am y salon trin gwallt.

'Mae Dad yn hir yn dod o'r siop gyfrifiaduron,' meddai Moi yn bwdlyd ar ôl cyfnod hir o wylio'r merched yn cael gwneud eu gwalltiau.

'Mae o ar ei ffordd, cariad,' atebodd ei fam, yn ceisio'i gysuro.

Ar ôl cael ei gwallt wedi'i osod yn fynsen daclus ar ei phen, cafodd Martha drin ei hewinedd mewn rhan arall o'r salon – yn bennaf er mwyn ei chadw hi a'i brawd ar wahân. Jest rhag ofn.

Roedd Moi wedi diflasu'n llwyr yng nghanol y gwres a'r arogl siampŵ, ond cyrhaeddodd Dad o'r diwedd i fynd â Martha a Moi adref.

'Myrddin, gofala nad ydi'r plant 'ma'n baeddu cyn y parti heno.'

'Dim problam!' atebodd Myrddin.

'Moi, fasat ti'n hoffi gweld 'y ngwinadd newydd i?' gofynnodd Martha ar y ffordd adref yn y car.

'Na, dim diolch,' atebodd Moi yn swta.

'Maen nhw'n biws ac yn binc bob yn ail,

ac mae ’na garreg sgleiniog ar bob un ohonyn nhw. Drycha!’

‘Del iawn,’ atebodd Moi, heb friwsionyn o ddiddordeb.

Ar ôl cyrraedd adref trodd Myrddin y teledu ymlaen i wylio chwaraeon, a dechreuodd Martha chwarae efo Lili, y ddol newydd, gan frwsio’i gwallt yn ofalus.

‘Dwi’n bôrd,’ cwynodd Moi. ‘Martha, ti ffansi mynd allan i chwarae?’

‘Be am chwarae efo’r gegin fach bob lliw?’ awgrymodd Martha.

‘Ocê, ’ta,’ cytunodd Moi braidd yn ddi-ffrwt.

Cariodd Moi gegin fach Martha allan i’r ardd. Anrheg Nadolig oedd hi, ac yn dal yn lân ac yn edrych fel newydd.

‘Be am neud bwyd?’ awgrymodd Moi.

Dilynodd Martha’i brawd mawr fel oen bach. Dechreuodd Moi lenwi bwced efo pridd ac yna aeth y ddau at y tap i nôl dŵr. Trodd cynnwys y bwced yn stwnsh brown, gwlyb, ac yna cododd Moi lwyaid o'r stwnsh a'i osod mewn sosban blastig.

'Llenwa di'r powlenni yma i ni gael rhoi'r cacennau yn y popty,' meddai Moi.

Dechreuodd Martha godi'r stwnsh ond roedd yn drwchus ac yn anodd i'w droi â llwy.

'Defnyddia dy ddwylo,' awgrymodd Moi yn frwdfrydig.

'Iawn,' chwarddodd Martha, yn mwynhau ei hun ac wedi anghofio popeth am ei hewinedd crand.

Roedd gwallt Martha wedi dechrau dod yn rhydd a bu'n rhaid iddi wthio'r cudynnau tu ôl i'w chlustiau efo'i bysedd mwdlyd.

'Bydd yn ofalus, Martha. Ti'n cael mwd dros dy wallt i gyd,' meddai Moi wrthi.

Ha ha! Mae Martha'n fwd drosti i gyd,

meddyliodd, â gwên fach slei ar ei wyneb wrth iddo nôl rhagor o ddŵr.

Pan ddaeth yn ei ôl roedd Sisial y gath wedi dod i fusnesu at Martha. Rhoddodd Moi gic yn ddamweiniol i'r bwced a thasgodd y dŵr dros Sisial druan. Rhoddodd honno sgrech, a sgrialu i fyny'r goeden agosaf a gwrthod dod i lawr.

'Ti 'di dychryn Sisial rŵan!' ebychodd Martha.

'Dwi'n gwybod, ond wnes i ddim trio. Fydd raid i ni ei nôl hi.'

'Bydd. Mi wyt ti'n un da am ddringo coed, Moi,' cynigiodd Martha.

'Ydw, ond mae arni hi f'ofn i rŵan. Fydd raid i *ti* neud.'

'Fi?' gofynnodd Martha'n syn.

'Dim ond i'r gangen isaf.'

'Well i mi beidio,' atebodd Martha.

'Yli, mi wna i dy helpu di i sgwrio dy winadd efo'r brwsh gwinadd wedyn, iawn?

Wir yr. A molchi dy wyneb a thwtio dy wallt di,' meddai Moi, gan ei chofleidio a cheisio'i chysuro.

Pan welodd Martha wên lydan ei brawd mawr fedrai hi mo'i wrthod. Cyn iddi gael amser i newid ei meddwl, cododd Moi ei chwaer fach a'i rhoi ar y gangen isaf.

'Gafael yn dynn, dynn rŵan, iawn?' meddai wrthi.

'Iawn,' atebodd Martha'n grynedig.

'Dweud rwbath wrth Sisial rŵan, 'ta.'

'Fel be? Dwi ofn disgyn, Moi,' meddai Martha'n nerfus.

'Sibrwd rywbeth neis wrthi, Martha,' awgrymodd Moi.

Ar ôl meddwl am ychydig, sibrydodd Martha, 'Tyd, Sisial fach. Tyd siwgr-candi-mêl at Mam.'

Ond doedd 'na ddim symud ar Sisial.

'Gwranda, Martha, dwi am fynd i nôl darn bach o ham i'w themtio.'

'Ond Moi . . . paid â ngadael i'n fan'ma,' meddai Martha, yn gafael yn y gangen am ei bywyd.

Rhedodd Moi i'r tŷ. Roedd ei dad yn eistedd ar y soffa'n gwylio Cymru yn erbyn Lloegr ym Mhencampwriaeth y Chwe Gwlad. O, gêm Cymru a Lloegr! Roedd Moi wedi anghofio pob dim amdani. Ac mi anghofiodd bob un dim am Martha Mai hefyd ar ôl eistedd wrth ochr ei dad i wylio'r gêm. Dim ond pan glywodd sŵn car ei fam yn stopio o flaen y tŷ y cofiodd am ei chwaer fach yn y goeden!

Pan welodd Rhiannon yr olygfa o'i blaen bu bron iddi lewygu. Roedd mwd dros y teils coch o flaen y tŷ, roedd cegin fach Martha Mai yn blastar o fwd, ac yn waeth na hynny, roedd Martha Mai fwdlyd yn crio mewn coeden! Uwch ei phen roedd Sisial y gath yn edrych yn syn, a dim golwg o Moi na'i dad yn unlle.

Roedd Rhiannon wedi cynhyrfu cymaint nes ei bod yn gweld sêr. Agorodd ei cheg yn llydan a bloeddio, 'Martha Mai! Moi Mawrth! MYRRRRDDIN!'

Pan glywodd Moi ei fam yn gweiddi, penderfynodd fod yn rhaid iddo wneud rhywbeth ar unwaith.

Doedd gan ei dad ddim syniad beth oedd yr holl stŵr wrth iddo ruthro allan trwy'r drws. Y peth cyntaf wnaeth Moi oedd diffodd y teledu. Sylwodd ar y tân yn llosgi'n ddiog yn y stof goed. Agorodd y tyllau bach ar y stof er mwyn gadael rhagor o aer i mewn. Wrth i'r tân ddeffro a dechrau llosgi'n ffyrnig, aeth Moi yn nes a gosod ei dalcen yn erbyn y gard tân. Teimlodd y gwres ar ei dalcen. Mewn ychydig roedd ei dalcen yn berwedig o boeth.

Pan glywodd y drws ffrynt yn agor, caeodd y tyllau bach unwaith eto a gadael i'r tân fynd yn ei ôl i gysgu. Rhedodd at y soffa a gorwedd yno gan wneud ei orau glas i edrych yn swp sâl.

Daeth ei fam i'r tŷ fel un o gorwyntoedd ffyrnig America, ac Anwen y tu ôl iddi a'i gwallt melyn syth a hir wedi troi'n gyrls hyfryd. Yn eu dilyn roedd Dad gyda Martha Mai ddagreuol yn fwndel mwdlyd yn ei freichiau. Roedd golwg hollol ddryslyd ar ei wyneb. Roedd pob man wedi bod yn dawel braf nes i Rhiannon gyrraedd adref. Dim ond gwylio gêm rygbi roedd o.

'Dim ond awr fuos i, Myrddin – chwe deg munud. Chwe deg munud! Ac mae hi'n draed moch yma. Moi . . .?! Ooooo!'

Stopiodd yn stond pan welodd Moi yn gorweddian ar y soffa, yn edrych yn sâl.

'Mae o'n cysgu, Mam,' meddai Anwen yn dawel.

'Cysgu? Hm! Mi geith o gysgu, wir!'

Wrth fynd yn nes ato, sylwodd Rhiannon fod wyneb Moi fel tomato mawr coch, a mymryn o chwys uwchben ei wefusau.

'Rargian! Roedd o'n iawn yn y dre bore 'ma,' meddai'n ddifrifol gan edrych ar Moi.

'Roedd o'n iawn pan oeddan ni'n gwylio'r rygbi . . .' dechreuodd Myrddin.

'Rygbi, ia?' meddai Rhiannon a'i haeliau'n codi nes eu bod bron â chyffwrdd top ei thalcen.

'Ond bobol bach, mae o'n berwedig,' ychwanegodd ar ôl teimlo'i dalcen. 'Calpol amdani er mwyn cael yr hen wres 'ma i lawr.'

Daeth y cysgod lleiaf o wên dros wefusau Moi. Er ei fod o'n casáu Calpol, roedd yn fodlon llyncu unrhyw beth i osgoi ffrae. Dwy awr fach dawel ar y soffa a byddai'n tsiampion ar gyfer parti Nain. Erbyn hynny, byddai ei fam yn rhy brysur efo'r parti i holi'n fanwl beth oedd wedi digwydd.

A diolch byth nad oedd Martha druan wedi deud hanes y gath . . .

Roedd Moi, eto fyth, un cam ar y blaen i bawb!

3

Moi Misho a'r pwdin lloerig

Roedd Moi Misho'n casáu pwdin reis. Roedd o hefyd yn casáu cacen afal ac unrhyw beth yn cynnwys jam. Yr unig bethau melys roedd Moi yn eu hoffi oedd fferins-bob-lliw a siocled.

Ond roedd ei fam yn benderfynol o ddod o hyd i bwdin y byddai Moi'n ei fwynhau. A deud y gwir, roedd y broblem bwdin 'ma wedi mynd yn dipyn o gur pen i Moi ac yn dipyn o jôc i bawb arall. Ond doedd Moi ddim yn meddwl bod y sefyllfa'n jôc o gwbl, ac roedd ei fam yn mynnu gwneud pwdin erbyn amser te heddiw. Ych!

Wrth i'w fam baratoi cinio, aeth Moi allan i weld a oedd Jac drws nesa awydd dod i gicio pêl. Yn anffodus i Moi, dim ond dau fachgen oedd yn byw ar y stad – fo a Jac. Genethod oedd y gweddill.

Doedd 'na ddim ateb yn nhŷ Jac drws nesa, felly aeth Moi allan i gicio pêl ar ei ben ei hun. Doedd 'na fawr o hwyliau arno.

Dechreuodd anelu'r bêl at y goeden dderw o flaen ffens Dean drws nesa'r ochr arall ('Y Dean Blin' fel byddai Anwen, Moi a Martha yn ei alw) – ond yn anffodus roedd Moi yn methu taro'r goeden bob tro.

Daeth Anwen ato i'r ardd ar ôl bod yn ei wylio trwy'r ffenest. 'Moi, ga i roi jèl yn dy wallt di?' gofynnodd. 'Mae Mam a Martha wedi gadael i mi roi colur arnyn nhw.'

'Na chei,' atebodd yn bwdlyd.

‘Plis.’

‘Na! A paid â gofyn eto, neu fydda i’n dweud wrth bawb yn ’rysgol dy fod ti’n dal i gysgu efo Nwnw. Dwi’n siŵr na ’di dy ffrindiau di ddim yn dal i gysgu efo blanced babi, nac’dyn?’

‘Paid â meiddio,’ meddai Anwen, ‘neu mi ddeuda i wrth bawb bo chdi ’di prynu dol efo pres dy gadw-mi-gei.’

Gwylltiodd Moi yn gacwn a chicio’r bêl mor galed nes iddi daro yn erbyn un o ffenestri tŷ gwydr y Dean Blin, a’i thorri’n deilchion.

‘MOI MAWRTH!’ gwaeddodd ei dad wrth redeg o’r gegin. ‘Chdi dorrodd y ffenest ’na?’

‘Ia,’ atebodd Anwen, ‘mae o wedi bod yn trio’i thorri hi drwy’r bora.’

‘Naddo, tad!’ meddai Moi, yn rhythu â’i lygaid mawr glas ar ei chwaer. ‘Wnes i ddim trio, Dad, wir yr.’

Ar ôl bod yn nhŷ Dean yn ymddiheuro a

threfnu i dalu am wydr newydd, eisteddodd pawb i gael cinio.

'Dwi'n siŵr byddi di, Moi, wrth dy fodd efo'r pwdin dwi am ei neud i de. Tapioca,' meddai ei fam.

Yyyyy! Roedd yr enw'n ddigon i Moi. Ta-pi-*O!-NA!*

Ych, meddai ei stumog.

'Yyyyych!' udodd Anwen a Martha wedyn fel parti llefaru.

Suddodd Moi i'w sedd. Dim pwdin arall, plis! Roedd hon yn teimlo fel cosb wythnosol. Treiffl. Crymbl riwbob. Teisen mwyar duon. Pei banoffi. Ond y pwdin lemon oedd y gwaethaf hyd yn hyn.

Roedd yn rhaid iddo wneud rhywbeth ynglŷn â hyn – yn reit handi! Roedd y syniad o fwyta tapioca'n codi pwys arno, fel bwyta llond powlen o grifft llyffant melys. A beth oedd mor arbennig am lond powlen o wlybaniaeth melys beth bynnag?

'Wnewch chi glirio'r bwrdd, blant?' gofynnodd Rhiannon ar ôl cinio. 'Dwi'n gweld Nesta drws nesa'n dod at y drws.'

Diflannodd Anwen a Martha o'r gegin cyn i Moi gael cyfle i godi o'r bwrdd, gan ei adael ar ei ben ei hun yn y gegin. A dyna i chi beth peryglus i'w wneud!

Yna, cafodd chwip o syniad. Gwelodd lyfr rysáit ei fam ger y popty a hwnnw wedi'i agor ar dudalen y pwdin tapioca. Edrychodd drwy'r cynhwysion yn sydyn cyn rhuthro i'r pantri. Chwiliodd ar hyd y silffoedd a'i ben yn mynd o ochr i ochr fel petai'n gwylio'r tennis yn Wimbledon.

O'r diwedd daeth o hyd i jar wydr efo label SIWGR CASTER arni yn llawysgrifen ei fam, a jar wydr arall gyda label HALEN yn yr un llawysgrifen. Rhoddodd gynnwys y jar halen yn y jar siwgr caster a rhoi cynnwys y jar siwgr caster yn y jar halen.

Roedd yn teimlo'n reit glyfar nes iddo

droi i adael y pantri a gweld Martha Mai yn sefyll y tu ôl iddo, yn syllu'n syn. 'Gwneud drygau wyt ti eto, Moi?' gofynnodd.

'Naci. Welest ti ddim byd, naddo Martha?'

'Ond . . .' dechreuodd Martha.

'Yli, os deudi di rywbeth, mi fydd Sali, Mali, Siwsi, Liwsi a Del a Dol neu be bynnag ydi'u henwa nhw yn hollol foel erbyn hanner nos.'

'Iawn,' atebodd Martha'n ufudd, wedi dychryn.

Daeth Rhiannon yn ei hôl i'r gegin ar ôl bod yn sgwrsio efo Nesta, a dechrau gwneud y tapioca.

'Mae'r tapioca yn y popty ac mi fydd yn barod mewn awr,' meddai ymhen rhai munudau. 'Mae gynnon ni ddigon o amser i fynd i nôl Mererid.'

Neidiodd pawb i'r car a mynd i dŷ Mererid, ffrind gorau Anwen, gan ei bod yn dod i gael te a chysgu'r noson. Am unwaith, roedd Moi'n edrych ymlaen at amser swper – yn enwedig y pwdin!

Daeth pawb at y bwrdd am chwech o'r gloch, a chael pastai cyw iâr, tatws, moron ac india-corn melyn, blasus.

Roedd Moi wedi'i blesio efo'r bwyd – dim byd gwyrdd i'w wenwyno fo'r tro 'ma. Roedd platiau pawb yn lân ar ddiwedd y pryd, hyd yn oed plât Moi.

Yna tynnodd Rhiannon y pwdin tapioca allan o'r popty.

'Mm. Mae o'n edrych yn hyfryd, Rhiannon. Brown neis ar y top,' meddai Myrddin.

Rhoddodd Rhiannon bowlennaid i bawb.

'Dewch 'laen. I lawr y lôn goch â fo cyn iddo fo oeri,' meddai'n frwdfrydig.

Sylwodd neb nad oedd Moi yn protestio cymaint ag arfer wrth weld pwdin dieithr o'i flaen. Sylwodd neb ar wyneb syn a disgwylgar Martha Mai chwaith.

Myrddin oedd y cyntaf i roi llwyaid ohono yn ei geg, wedyn Anwen a Mererid ar yr un pryd yn union â'i gilydd.

Fuo bron i Myrddin boeri'r pwdin dros y bwrdd, a rhedodd Anwen i'r tŷ bach. Roedd Mererid yn fwy poléit – poerodd ei chegaid gyntaf yn ôl yn daclus i'w llwy gan aros yn gwrtais, er i'r pwdin erchyll godi pwys mawr arni.

Dechreuodd Moi godi'r llwy yn ara deg bach at ei geg.

Edrychodd Rhiannon – nad oedd wedi blasu'r pwdin eto – yn rhyfedd ar bawb. 'Be sy'n bod?' holodd, gan roi llwyaid anferthol yn ei cheg cyn i neb gael cyfle i'w rhybuddio.

'Bobol . . .!' meddai gan redeg i nôl darn o bapur cegin er mwyn poeri'r tapioca i mewn iddo. 'Mae hwn fel powliad o ddŵr môr. Rhyfedd! Dim ond pinsiad bach o halen rois i, fel roedd y rysáit yn deud.'

'Ych y pych,' meddai Moi o'r diwedd, yn ddramatig i gyd, ond heb flasu dim o'r pwdin. 'Dwi'm yn ei fwyta fo!'

'Dwn i ddim sut buos i mor flêr,' meddai ei fam. 'Fydd raid i'r pwdin 'ma fynd i'r bin sbwriel. Sori, Mererid, dydi mhwdinau i ddim mor ddrwg â hyn fel arfer, wir.'

Gwenodd Moi iddo'i hun. Buddugoliaeth!

Ond yna, rhoddodd Martha Mai ei throed ynddi yn y modd mwyaf ofnadwy. Roedd Moi wedi dathlu'n rhy fuan.

'Nid Moi ddaru, Mam,' meddai hi.

Cododd aeliau'i rhieni.

'Nid Moi ddaru be, Martha fach?' gofynnodd Rhiannon, gan geisio peidio â chynhyrfu.

'Nid Moi ddaru newid yr halan am y siwgr, Mam. Wir yr.'

Roedd y wên ysgafn wedi llithro oddi ar wyneb Moi.

A phan welodd Martha wyneb Moi yn

rhythu arni heb wên yn agos at ei weflau blin, sylweddolodd hi ei bod wedi gwneud tipyn bach o gamgymeriad. Wrth geisio gwneud yn siŵr nad oedd ei brawd mawr yn mynd i helynt eto, roedd wedi creu'r helynt mwyaf dychrynllyd iddo fo.

Edrychodd Rhiannon ar Myrddin ac edrychodd Myrddin ar Rhiannon ac edrychodd y ddau ar Moi.

* * *

Ar ôl cael bath a glanhau ei dannedd, cafodd Martha Mai stori ar lin ei thad o flaen y tân. Roedd Anwen a Mererid yn llofft Anwen yn gwrando ar gerddoriaeth. Ond roedd Moi wedi cael ei anfon i'w wely'n gynnar, heb stori, ac wedi cael gwybod na fyddai dim pres poced am bythefnos.

Cydiodd Martha'n dynn yn llaw ei thad wrth ddringo'r grisiau. Gorweddodd yn ei gwely a thynnodd ei thad y cwilt pinc drosti.

'Nos da, cariad.'

Gadawodd Myrddin y golau bach ymlaen i Martha. Yna edrychodd Martha draw at ei doliau hyfryd, wedi'u gosod yn drefnus ar y silff o'i blaen.

Roedd y sgrech a ddaeth wedyn i'w chlywed o bob ystafell yn y tŷ, ac roedd hi hyd yn oed yn uwch na holl synau'r teledu.

Rhedodd pawb i gyfeiriad y sgrech – ystafell wely Martha Mai.

Roedd 'na rywbeth ofnadwy wedi digwydd i walltiau'r doliau. Ar ôl cysuro Martha, rhuthrodd Rhiannon a Myrddin i lofft Moi. Ond roedd hwnnw'n cysgu'n drwm a'i lyfr a'i geg yn llydan agored. Roedd yn edrych fel angel. Allen nhw ddim rhoi ffrae iddo ac yntau'n cysgu mor drwm, felly penderfynodd ei rieni adael iddo gysgu. Ar ôl iddyn nhw fynd, agorodd

Moi un llygad a sbecian. Roedd y tric wedi gweithio!

Chwarae teg iddo, doedd Moi ddim wedi torri gwalltiau'r doliau go iawn. Dim ond wedi rhoi jèl ar wallt pob un ohonyn nhw a gwthio'r gwallt wedyn o'r golwg i mewn i'w ffrogiau. Doedd ganddo mo'r calon i dorri eu gwalltiau, a Martha â chymaint o feddwl ohonyn nhw.

Roedd yn falch na chafodd ffrae. Ond y peth pwysicaf un oedd nad oedd o wedi gorfod blasu dim o'r pwdin lloerig.

4

Moi misho symud tŷ

Roedd Moi wedi bod yn edrych ymlaen at y gloch hanner awr wedi tri trwy'r dydd. Roedd yn ysu am gael gwybod beth oedd y syrpréis, ond roedd ei fam yn gwrthod dweud tan amser te.

Gwyliau? Ci bach? Car newydd? Roedd dychymyg Moi wedi bod yn rasio ers y bore.

'Ella fod Mam yn cael babi arall?' sibrydodd Anwen ar y ffordd adref o'r ysgol.

'Hogyn, gobeithio,' meddai Moi.

Astudiodd Anwen fol ei mam yn ofalus.

'Dwi ddim yn disgwyl babi, Anwen,' meddai ei mam wrth weld ei merch yn ei llygadu.

Pan ddaeth hi'n amser te, roedd Anwen, Moi a Martha'n disgwyl yn eiddgar am y cyhoeddiad.

'Wel, rydan ni wedi penderfynu symud tŷ – yndô, Rhiannon?' meddai eu tad.

'Do, ac mi rydan ni wedi gweld tŷ braf iawn – yndô, Myrddin?' meddai eu mam.

'Grêt!' meddai Moi. 'Dim ond un hogyn sydd ar y stad yma.'

'A gawn ni ddweud ta-ta wrth "y Dean Blin" hefyd!' ychwanegodd Anwen.

'Fydd 'na fwy o fechgyn ar y stad honno?' holodd Moi.

'Lle mae'r tŷ?' holodd Anwen, cyn i Moi gael ateb i'w gwestiwn.

'Wel . . . ym . . . ddim yn rhy bell,' atebodd ei thad.

'Lle mae o, Dad?' holodd Martha wedyn.

'Mae o'n fwy o dyddyn na thŷ, a dweud y gwir,' atebodd eu mam yn bwyllog.

'Be 'di tyddyn?' gofynnodd Moi'n ddryslyd.

'Ffermdy bach efo ychydig o dir o'i gwmpas.'

'Ffarm!' ebychodd Moi. 'Ond mae ffermydd yng nghanol nunlla!'

'Mae'r fferm mewn llecyn tawel, braf wrth droed y mynydd,' atebodd ei fam.

'Mynydd!' cwynodd Anwen a Moi efo'i gilydd.

'O leia fydd 'na ddim cymdogion blin yn fanno,' meddai eu tad.

'Dim cymdogion?' gofynnodd Anwen.

'Ym . . . wel . . . dim rhai agos,' atebodd eu tad, yn ceisio dringo allan o dwll mawr.

'Dwi MISHO symud yno. No wêêêê. Dwi'n mynd i fyw at Nain a Taid,' pwdodd Moi.

'Dal dy ddŵr am funud bach,' meddai ei

fam. 'Mi gafodd dy dad ei fagu ar ffarm, yndô, Myrddin?'

'Rydan ni wedi bod isio prynu lle fel hyn ers blynyddoedd – i gael cadw ychydig o anifeiliaid,' ychwanegodd eu tad.

'Ceffyl!' gwaeddodd Martha Mai yn llawn cyffro.

'Moch oedd gen i ffansi, deud y gwir,' atebodd Myrddin.

'Moch!' gwaeddodd Anwen a Moi fel deuawd llefaru.

Roedd pethau'n mynd o ddrwg i waeth. Roedd Moi eisiau deffro o'r hunllef.

'Mae moch yn drewi,' cwynodd Anwen, 'a fyddwn ninnau'n drewi wedyn.'

'O'r holl anifeiliaid yn y byd, rydach chi'n dewis moch. Am gywilydd!' cwynodd Moi, cyn carlamu i'w lofft a rhoi clep ar y drws.

Bu Moi yn pwdu ac Anwen yn cwyno trwy'r gyda'r nos. Ond doedd symud i dyddyn yn poeni dim ar Martha Mai.

Roedd Moi yn flin – yn flin iawn. Roedd yn ddigon drwg byw ar stad efo dim ond un hogyn arall. Ond roedd byw ar ochr y mynydd HEB DDIM CYMDOGION yn ormod.

Paciodd ei gês a mynd at y drws ffrynt, ond yna clywodd lais ei fam.

'Lle ti'n mynd, Moi?'

'Tŷ Nain a Taid.'

'Fedri di ddim.'

'Medraf. Dwi MISHO mynd i fyw i ben draw'r byd.'

'Gwranda, Moi. Be am ddod i weld y lle gynta?'

Yn dilyn llawer o berswâd, cytunodd Moi i aros adref a mynd i weld y tyddyn y diwrnod canlynol.

Ar ôl ysgol drannoeth, aeth y teulu i weld y tyddyn. Roedd calon Moi yn suddo'n is ac yn is wrth adael y pentref a mynd ar hyd y lôn gul, unig. Ar ôl cyrraedd yno, gwrthododd adael y car. Roedd wedi penderfynu: doedd o ddim am symud i'r tyddyn 'ma. Doedd 'na'r un tŷ arall i'w weld yn agos iddo, dim ond llond caeau o ddefaid a gwartheg!

Roedd Martha Mai wedi gwirioni ar y lle, yn enwedig y cŵn bach.

'Ydi'r mab am ddod i mewn?' holodd y wraig annwyl, fochgoch.

'Nac'di, dim diolch, mae o'n teimlo braidd yn sâl,' meddai ei fam, yn gwneud esgusodion drosto.

Ar ôl gweld pob twll a chornel daeth pawb yn ôl i'r car.

'Mae o'n berffaith,' oedd brawddeg gyntaf Dad.

Allai Moi ddim aros i gael mynd yn ôl adref at bobl normal a chartref go iawn.

Pan gyrhaeddon nhw adref, diflannodd i'w lofft fel corwynt cas.

Y diwrnod wedyn, cafodd Moi sioc anferthol. Ar ôl dangos iddyn nhw nad oedd o'n hapus o gwbl, roedd o'n siŵr y byddai ei rieni wedi ailfeddwl. Ond na. Gwelodd rywbeth OFNADWY o flaen y tŷ. Bwystfil o beth! Arwydd gwyn a'r geiriau hyn drosto mewn coch llachar:

PRYDDERCH & JONES
AR WERTH

* * *

Y penwythnos canlynol bu mam Moi'n glanhau trwy'r bore oherwydd roedd pobl yn dod i weld y tŷ.

Pan gyrhaeddodd y car mawr glas, roedd Moi a Jac wrth y garej yn ceisio taflu pêl i mewn i'r rhwyd bêl-fasged. Cyn mynd â'r cwpl – dyn ifanc tenau a dynes fawr, drom a ffrog oren amdani – i mewn i'r tŷ, trodd ei fam at Moi a gwneud yr ystum mwyaf dychrynllyd arno, fel arth efo'r ddannoedd, cystal â dweud 'BIHAFIA!'

Diflannodd Rhiannon i mewn i'r tŷ efo'r ddau. Ar ôl tua deng munud fe ddaethon nhw allan i'r ardd.

Yna fe ddaeth y Dean Blin i'r golwg a galw dros y ffens ar Rhiannon. Cyn gynted ag y trodd hi ei chefn a mynd at y ffens, cyrhaeddodd Sisial y gath. Roedd ganddi lygoden fach rhwng ei dannedd.

'Sisial ydi hon,' meddai Moi wrth y cwpl. 'Rydan ni'n lwcus wsnos yma – dim ond pedair llygoden mae hi wedi'u dal.'

Edrychodd y cwpl ar ei gilydd yn ansicr. Gwingodd y wraig a cherdded o ffordd Sisial mor gyflym nes iddi faglu dros stepen a hedfan drwy'r awyr fel jeli mawr oren.

'Ti'n iawn, Bethan?' meddai'r gŵr, gan redeg ati mewn panig.

'Ydw, dwi'n meddwl.'

Roedd Moi wedi dychryn. Doedd o ddim

wedi bwriadu i hynna ddigwydd! Roedd Jac yn gwylio'r holl beth a'i geg yn agored.

'Ydach chi'n iawn?' gofynnodd Moi yn annwyl i'r ddynes oren.

'Ydw diolch, mach i,' atebodd â gwên fach boenus wedi iddi godi ar ei thraed.

Daeth Rhiannon yn ôl atyn nhw, heb fod yn ymwybodol bod dim byd wedi digwydd. 'Hoffech chi grwydro o gwmpas y tŷ eto, ar eich pennau'ch hunain?' holodd.

'Ia, plis,' meddai'r gŵr yn awyddus, ond roedd ei wraig yn edrych fel petai'n barod i fynd adref. Diflannodd y ddau i mewn i'r tŷ ac aeth Jac am adref.

Pan ddaeth y cwpl i'r gegin, roedd Moi yn eistedd wrth y bwrdd yn adeiladu tŷ Lego. Sylwodd yn syth fod llygaid y wraig wedi cael eu denu at rywbeth oedd yng nghornel bella'r gegin.

Dilynodd Moi ei hedrychiad at y clwstwr

o bethau brown ar deils gwyn y llawr, a dweud: ‘O na, mae’r cocrotshys yn ôl! Mae Mam a Dad wedi talu ffortiwn i gael gwared â’r rheina.’

Edrychodd y wraig ar ei phartner mewn braw.

Gan nad oedd ei fam o gwmpas, cafodd Moi gyfle i roi rhagor o wybodaeth iddyn nhw. ‘Roedd ’na nyth cacwn yma’r haf diwetha hefyd, ’chi,’ ychwanegodd yn ddiniwed.

Edrychai’r wraig fel petai ar fin llewygu.

‘Hoffech chi baned?’ gofynnodd Rhiannon pan ddaeth i mewn i’r gegin.

‘Dim diolch, mae’n rhaid i ni fynd. Tyd, Jonathan.’

Rhuthrodd y wraig o’r tŷ mor gyflym nes iddi fynd tuag at y tŷ bach yn hytrach nag am y drws ffrynt. Wrth i Rhiannon eu hebrwng at y drws cywir, cododd Moi’r syltanas a’r ffa brown tywyll oddi ar y llawr, a'u rhoi yn y bin sbwriel cyn i'w fam ddod yn ôl.

* * *

Ddau fis ar ôl i'r tŷ gael ei roi ar werth, daeth cyhoeddiad pwysig un amser cinio dydd Sadwrn.

'Fyddwn ni ddim yn symud tŷ wedi'r cwbl,' meddai Myrddin.

Edrychodd Moi ac Anwen ar ei gilydd yn gyffrous.

'Ac mae'r tyddyn wedi'i werthu i rywun arall, beth bynnag,' ychwanegodd.

'O bechod,' meddai Anwen, gan geisio ymddangos yn drist.

'Does 'na neb wedi gofyn am gael gweld ein tŷ ni am yr ail dro chwaith,' ychwanegodd Rhiannon yn siomedig.

'Rhyfedd, 'te?' meddai Moi yn ddiniwed.

'Felly dwi am ffonio Prydderch a Jones ar ôl cinio i gael sgwrs a chanslo pob dim.'

O na! Roedd Moi'n poeni am y 'sgwrs' yna – rhaid iddo feddwl yn sydyn. Yn sydyn iawn!

Yn nes ymlaen, gallai glywed ei fam ar y ffôn.

'Ia, ma gen i ofn . . . tynnu'r tŷ oddi ar y farchnad . . . Be? . . . Ymateb cwsmeriaid? . . . Y? . . . Llygod? . . . Rargian! . . . *Cocrotshys*? . . . Nefoedd yr adar!'

Roedd Moi'n gallu clywed pob gair, a llais ei fam yn mynd yn uwch ac yn uwch gyda phob un!

'*Morgrug*? . . . Ydach chi'n siŵr? . . . *Nyth cacwn*?'

Erbyn diwedd yr alwad roedd ei fam yn gwybod yn union beth oedd wedi bod yn digwydd. O oedd – a bobol bach, roedd hi'n flin.

'Reit, dwi'n gweld . . . diolch i chi.'

Ar ôl ffarwelio â Prydderch a Jones, carlamodd fel sowldiwr i gyfeiriad llofft Moi.

'MOI MAWRTH!' gwaeddodd ar dop ei

llais cyn cyrraedd yr ystafell, fel petai'r tŷ ar dân ac angen cael pawb allan ar frys.

Pan agorodd ddrws y llofft, stopiodd yn stond.

Roedd Moi wrthi'n ymarfer ei drwmped. Heb iddi orfod erfyn na swnian arno! Roedd o hyd yn oed wedi paratoi'r stand ar ei ben ei hun bach. Edrychai ei fam arno'n gegagored. Dyma'r tro cyntaf iddo agor cas y trwmped o'i wirfodd ers iddo ddechrau cael gwersi.

Wrth fynd dros y darn, ceisiodd Moi edrych fel petai'n mwynhau pob eiliad. Ceisiodd wenu, ond roedd yn anodd gwenu a chwythu yr un pryd. I'w fam roedd hyn fel ennill y Loteri. Doedd hi ddim am ddweud wrtho am stopio er mwyn rhoi ffrae iddo. O na.

Wrth gwrs, yn ddistaw bach, roedd Moi yn gwybod hynny'n barod. Doedd o bob amser un cam ar y blaen?!

5

Moi Misho a'r efeilliaid

Pan gyrhaeddodd Moi'r ysgol ar ôl gwyliau'r Pasg, roedd Mr Evans, ei athro, wedi symud Mari a Lea i fwrdd arall.

'Hei, Tomos. Pwy fydd yn dod at ein bwrdd ni?' gofynnodd Moi i Tomos, ei ffrind gorau.

'Gwion a Callum gobeithio,' meddai Tomos.

Cyn i'r bechgyn gael cyfle i holi Mr Evans, daeth Miss Llwyd, y stiwdent, i mewn i'r dosbarth.

'Croeso'n ôl, blant. Miss Llwyd fydd efo

chi eto am y rhan fwyaf o'r tymor yma,' meddai Mr Evans cyn gadael y dosbarth.

Roedd Moi'n hoff iawn o Miss Llwyd, ond weithiau roedd hi'n cynhyrfu'n lân, yn enwedig os oedd y dosbarth yn mynd yn swnllyd. Yna byddai hi'n dechrau gweiddi a byddai geiriau ac enwau anghywir yn dod allan o'i cheg. Ond ar ôl i Miss Llwyd roi wy Pasg bach yr un i bob aelod o'r dosbarth cyn y gwyliau, roedd Moi'n meddwl mai hi oedd yr athrawes fwyaf caredig a welodd o erioed.

Tua deg o'r gloch daeth cnoc ar y drws, a daeth Mr Huws, y prifathro, i mewn efo dwy o enethod.

'Bore da, Mr Huws.'

'Bore da, blant.'

'Bore da, Miss Llwyd. Hoffwn gyflwyno dau ddisgybl newydd i chi. Efeilliaid ydyn nhw, fel y gwelwch chi. Dyma Eos Ceirios a Cerys Gwenerys.'

Edrychodd Moi ar Tomos. Edrychodd Tomos ar Moi. Dechreuodd y ddau biffian chwerthin. Am enwau crand! Ond sut yn y byd roedden nhw'n mynd i gofio'r fath enwau? Llithrodd y wên oddi ar wyneb Moi pan gofiodd am y ddwy gadair wag wrth ei ymyl.

'Maen nhw wedi symud yma o Borthmadog,' ychwanegodd y prifathro, ac yna troi at y ddwy. 'Dwi'n siŵr y cewch chi groeso gan weddill y dosbarth. A dwi'n gwybod y bydd genethod y dosbarth yn awyddus iawn i gadw cwmni i chi yn ystod yr egwyl.'

'Byddwn, Syr,' atebodd y genethod i gyd.

'Felly, Miss Llwyd, wna i mo'ch cadw chi ddim rhagor. Eos Ceirios a Cerys Gwenerys, croeso i Ysgol Bro Cennydd.'

Edrychodd Moi yn gegagored wrth i Miss Llwyd eu hebrwng at ei fwrdd o a Tomos.

Roedd y ddwy 'run ffunud â'i gilydd. Pwy oedd pwy? meddyliodd Moi.

Wrth i'r tymor fynd yn ei flaen daeth Eos Ceirios a Cerys Gwenerys yn hoff iawn o Moi a Tomos, ond roedd y ddwy yn siarad gormod braidd ym marn Moi.

Druan o Miss Llwyd, roedd hi'n dal i gael trafferth dod i arfer â'u henwau, ac un tro cafodd Miss Llwyd andros o ddiwrnod dryslyd. Roedd popeth yn mynd o chwith. Ar ben hynny, roedd yn ddiwrnod berwedig o boeth ond wedi dechrau troi'n wyntog ac roedd bleinds y dosbarth yn chwythu i bob man oherwydd bod y ffenestri'n agored.

'Ma'r gwynt 'ma'n 'ych gneud chi'n wirion bost heddiw,' cwynodd Miss Llwyd. Roedd y plant braidd yn rhy fywiog ganddi. Yn fuan iawn aeth popeth yn ormod iddi, a gwylltiodd yn gacwn pan welodd gegau Eos Ceirios a Cerys Gwenerys yn agor a chau'n ddi-baid fel pysgod aur am y pumed tro y diwrnod hwnnw.

'Ceos! Gwefus! Tawelwch y funud 'ma,' bloeddiodd dros y dosbarth. 'GWEFUS! CEOS!'

Dechreuodd y plant chwerthin am ei bod wedi drysu enwau'r efeilliaid unwaith eto.

Ond wrth i Miss Llwyd floeddio 'CEOS' dros bob man roedd Mr Huws y prifathro'n digwydd bod yn cerdded heibio, ac fe glywodd yr holl halibalŵ.

'*Chaos*, Miss Llwyd? *Chaos*? Ydi popeth yn iawn yma?' gofynnodd o'r drws.

'Ydi, ydi, mae popeth yn iawn, Mr Huws,' atebodd Miss Llwyd yn llawn cywilydd, a'i bochau wedi troi'n ddau domato mawr coch.

'Da iawn,' atebodd y Prifathro. 'Pawb yn blant da, dwi'n siŵr.'

Gadawodd Mr Huws y dosbarth a dechreuodd rhai o'r plant chwerthin.

'Ceos a Gwefus?! Enwau da, Miss Llwyd.'

'Tawelwch!'

* * *

Wrth estyn bocs bwyd Moi o'i fag un noson yn nes ymlaen yn y tymor, sylwodd ei fam fod yna amlen binc yn ei fag a 'MOI' wedi'i ysgrifennu'n ddel arni, gyda chalon yn lle atalnod llawn ar ôl yr enw.

'Llythyr i ti, Moi,' meddai ei fam.

Gwgodd Moi wrth weld yr amlen binc.

'Agor o,' mynnodd Anwen.

Yn ddigon anfodlon, agorodd Moi yr amlen binc, yn ofni beth oedd y tu mewn.

GWAHODDIAD I BARTI
Eos Ceirios a Cerys Gwenerys
yn Neuadd y Dyffryn
dydd Sadwrn, 1 Mehefin, 2–4 o'r gloch
RSVP

Taflodd Moi y gwahoddiad ar y bwrdd.

'Misho mynd,' meddai'n bendant.

'Moi, paid â bod mor ddiddiolch. Newydd gyrraedd yr ysgol maen nhw, ac maen nhw'n trio bod yn ffrindiau.'

'Parti genod fydd o.'

'Fydd Tomos yno?' holodd ei fam.

'Fydd o misho mynd chwaith,' mynnodd Moi.

'Ffonia fo i ofyn.'

Pan ffoniodd o Tomos, dywedodd hwnnw ei fod o wedi cael gwahoddiad a bod ei fam yn mynnu ei fod o'n mynd er mwyn bod yn groesawgar tuag at enethod newydd y dosbarth.

Roedd Moi'n teimlo ychydig yn hapusach o glywed bod Tomos yn mynd i'r parti.

'Dwi'n fodlon mynd os dwi'n cael mynd â phêl,' meddai wrth ei fam.

Cytunodd hithau, a'r bore wedyn cafodd Moi bàs gan ei dad i'r parti.

Gan ei fod wedi cyrraedd braidd yn gynnar, aeth i guddio y tu ôl i'r castell bownsio i aros am Tomos. Doedd arno ddim awydd chwarae efo Eos a Cerys. Ond chafodd o ddim llonydd yn hir oherwydd daeth yr efeilliaid o hyd iddo a swnian arno i neidio ar y castell bownsio efo nhw. Gwrthod yn bendant wnaeth Moi, a dechrau cicio'i bêl yn erbyn y wal.

Doedd 'na ddim golwg o Tomos yn unlle. Sylwodd Moi nad oedd yna 'run bachgen arall yno chwaith.

'Lle mae Tomos?' gofynnodd i Cerys Gwenerys. 'Ddeudodd o neithiwr ei fod o'n dod.'

'Do, ond mae o wedi cael y bỳg ac wedi bod yn sâl trwy'r nos.'

'O bechod,' atebodd Moi'n siomedig. 'Be am weddill y bechgyn?'

'Pa fechgyn? Chdi a Tomos oedd yr unig hogia gafodd wahoddiad.'

Roedd Moi yn lloerig. Ar ei fam roedd y bai am hyn i gyd, yn mynnu ei fod o'n mynd i'r parti. Edrychodd o'i gwmpas. Pinc, pinc a mwy o binc! Balŵns, ffrogiau, anrhegion, llieiniau bwrdd, platiau. Y cwbl i gyd yn binc.

Cerddodd allan gan fwriadu mynd adref, ond roedd ei dad wedi mynd ers tro. Aeth yn ei ôl yn ddigalon i'r ystafell barti. Hwn oedd y parti gwaethaf erioed!

Yna clywodd lais cyfarwydd o'r tu ôl iddo. Cyfarwydd iawn. Roedd y llais yn llenwi'r ystafell. Ond llais pwy oedd o, tybed? Allai Moi ddim cofio . . .

'Eos Ceirios! Cerys Gwenerys! Tyd yma, blodyn tatws, a tyd ditha yma, siwgr-candi-mêl.'

Trodd Moi i gyfeiriad perchennog y llais. Waldo Griffiths! Waldo Wirion! Roedd yr hunllef yn mynd yn waeth. Be ar y ddaear oedd Waldo Wirion yn ei wneud yn y parti? Cafodd ateb i'w gwestiwn yn syth.

'Taidi, Taidi,' gwichiodd y ddwy wrth redeg at eu taid.

O NA! meddyliodd Moi. Mae Waldo'n daid i'r genod gwirion 'ma.

Yn waeth na hynny, byddai Waldo yn dal i fod am ei waed o wedi iddo fo ddifetha'r gerdd 'Fy Nghi Bach' yn y steddfod. Byddai'n rhaid iddo guddio cyn i Waldo sylwi arno. Ar unwaith! Gwelodd fwrdd yn y gornel lle roedd y plant yn cael paentio'u hwynebau. Aeth o dan y bwrdd yn ddistaw bach. Roedd y wraig oedd yn paentio'r wynebau yn rhy brysur i sylwi ei fod o yno.

Cafodd Moi lonydd am tua chwarter awr nes i'r efeilliaid sylwi ei fod o ar goll. Wedyn roedd 'na chwilio a chwilio a ffws a ffwdan, a phawb yn gweiddi 'Moi!' dros y lle. A Moi druan yn gwgu dan y bwrdd, yn ysu am gael diflannu o'r hunllef binc 'ma.

Roedd Tomos yn mynd i fod mewn trwbwl am hyn, sâl neu beidio!

'Moi? MOI?' sgrechiodd Eos a Cerys fel twrcwn swnllyd.

Doedd dim golwg ohono yn unlle. Daeth y cyfnod chwarae i ben ac aeth y plant at y bwrdd bwyd i fwyta, ond penderfynodd Waldo a thad Eos Ceirios a Cerys Gwenerys ddal ati i chwilio amdano.

'Ydi o wedi rhedeg adra, tybed?' holodd Waldo. 'Lle mae'r bachgen yn byw, Eos fach?'

'Dim syniad,' meddai Eos, gan blannu'i dannedd mewn cacen binc.

Erbyn chwarter i bedwar roedd yr oedolion yn y parti'n poeni'n ofnadwy am Moi, a staff y neuadd ar y ffôn yn ceisio cael gafael ar ei rieni.

Pan gyrhaeddodd ei fam am bedwar o'r gloch, roedd rhieni'r efeilliaid yn poeni'n arw hefyd. Tra oedden nhw ar ganol egluro'r sefyllfa i Rhiannon yn y maes parcio, pwy ddaeth at ddrws y neuadd ond Moi, a'i gynffon rhwng ei goesau, a'i lygaid mawr glas yn edrych yn ddagreuol.

'Moi!' gwaeddodd Rhiannon gan redeg ato. 'Lle ti 'di bod?'

Cyn i Moi gael cyfle i'w hateb, dyma Waldo'n syllu'n syn arno a dweud yn ei lais mawr, pwysig: 'Dwi'n cofio rŵan – Moi Mawrth! Dwi wedi treulio'r awr ddiwetha'n chwilio amdanat *ti* o bawb, ac wedi colli parti'r ddwy dywysoges fach!'

Roedd golwg wylaidd iawn ar wyneb Moi.

'Wel, o leia mi wyt ti'n ddiogel. Ond ti'n dal i fod yn llond llaw i bawb, yn dwyt ti, fachgen?' ebychodd Waldo.

Erbyn hyn, roedd Moi druan yn edrych yn euog ac yn drist. Am unwaith doedd ganddo fo nag esgus na thric, ac roedd ei fam yn teimlo'n fwy euog byth am fynnu ei fod o'n mynd i'r parti.

Dywedodd Moi wrth ei fam wedyn y byddai'n well ganddo fod wedi treulio'r pnawn yn helpu Martha Mai i frwsio gwalltiau'r doliau na bod mewn parti pinc yn cuddio rhag Waldo Wirion o dan fwrdd.

Doedd gan ei fam ddim calon i'w ddwrdio.

Ond roedd un peth yn bendant. Doedd o MISHO mynd i barti genethod eto – BYTH BYTHOEDD!

6

Moi misho mynd ar ei wyliau

‘WAAAA!’ Roedd sgrechian Martha Mai yn llenwi’r tŷ.

‘WAAAAAAAA!’ Ddau funud yn ddiweddarach roedd sgrechian Anwen Awst yn llenwi’r tŷ hefyd.

Rhedodd Rhiannon a Myrddin fel dau deigr i lofftydd y genethod.

‘Be sy’n bod?’

‘Roedd ’na . . . fwystfil yn y drws,’ gwaeddodd Martha Mai a’i llygaid yn llawn cwsg.

‘Ti ’di cael hunllef fach, cariad?’ gofynnodd ei mam.

‘Roedd o’n debyg i octopws neu granc anferthol,’ ychwanegodd Anwen wedi cynhyrfu.

‘Welest ti o hefyd, Anwen?’

‘Do, roedd o fel rhywbeth allan o *Doctor Who*!’ meddai Anwen.

‘Lle mae Moi? Ydi o’n iawn?’ gofynnodd Myrddin.

Rhuthrodd bawb i lofft Moi. Roedd Moi o’r golwg o dan y cwilt.

‘Cysgu’n sownd,’ sibrydodd ei dad.

Ar ôl i bawb adael y llofft, agorodd Moi un llygad yn araf.

Yna cododd yn sionc a thyrchu o dan y gwely. Tynnodd y ‘bwystfil’ allan o’r tywyllwch. Hwn oedd y creadur a hanner oedd wedi llwyddo i ddychryn Martha Mai ac Anwen Awst, ac wedi creu dirgelwch mawr yn y tŷ.

Pwy fasa'n meddwl y byddai tysen, o bopeth, yn creu cymaint o hwyl? meddyliodd Moi, gan chwerthin.

* * *

Y pnawn cynt, roedd mam Moi wedi gofyn iddo estyn bagiad o datws iddi o'r pantri. Wrth chwilota yng nghefn y pantri gwelodd Moi fysedd hir, tenau yn chwifio arno. Aeth i nôl tortsh er mwyn cael gweld yn well. Roedd y bysedd, neu'r breichiau, main yn dod allan o gorff brown golau, hirgrwn. Wrth iddo graffu'n agosach sylweddolodd Moi beth oedd yna. Tysen!

Ie, tysen – taten frown, hyll – wedi cael ei gadael yno am fisoedd nes bod gwreiddiau wedi dechrau tyfu allan ohoni. Doedd o rioed wedi gweld tysen fel hon o'r blaen. Gwenodd wrth feddwl am yr hwyl y gallai ei gael efo'r fath beth!

Ar ôl te sleifiodd i'r gegin a rhoi'r dysen

erchyll yn ofalus mewn bag siopa mawr, ac aeth â'r bag i'w lofft a'i guddio o dan ei wely. Pan ddangosodd y dysen i Jac drws nesa, roedd hwnnw bron â thorri'i fol eisiau mynd â hi adref.

Mi fydd Anwen a Martha yn cael eu deffro gan gloc larwm go wahanol bore fory, meddyliodd Moi, gan biffian chwerthin iddo'i hun.

Wrth gwrs, roedd o wrth ei fodd pan glywodd yr holl weiddi a sgrechian ben bore! Ond pan ddychrynodd ei fam ychydig wedyn wrth iddi hwfro o dan ei wely – dychryn cymaint nes i'r dysen a'r dillad gwely fynd yn sownd yn yr hwfer – roedd ei rieni'n bendant fod triciau Moi wedi mynd yn rhy bell y tro yma.

Penderfynwyd nad oedd yn syniad da cael Moi o gwmpas tra oedden nhw'n paratoi'r garafán ar gyfer mynd i Sioe Llanelwedd – jest rhag ofn! Ar ôl siarad efo

Nain a Taid Sir Fôn ar y ffôn, dywedodd Myrddin wrth Moi, 'Ti'n cael mynd ar dy wyliau at Nain a Taid dros y penwythnos.'

'Grêt,' meddai Moi yn hapus.

'Ac mae Taid am fynd â chdi i bysgota.'

Diflannodd y wên mewn chwinciad. Pysgota – am ddiflas! Doedd o MISHO mynd i bysgota. Weithiau doedd bywyd jest ddim yn deg.

* * *

Pan gyrhaeddodd Moi dŷ Nain a Taid ar noson olaf tymor yr haf cafodd siocled poeth ar ôl ei de, a gwylio hen benodau o *C'mon Midffîld* yn eu cwmni.

Y bore wedyn bu'n helpu'i daid i baratoi ar gyfer y diwrnod o bysgota. Roedd sied Taid yn llawn o bethau diddorol, a'r silffoedd yn daclus a threfnus. Roedd dwy wialen bysgota yn hongian ar y wal, un fawr ac un lai.

'Dwi wedi cael gwialen i ti, Moi. Ac mae Nain am wneud bocs bwyd i ni, felly mae popeth yn barod ar wahân i'r abwyd.'

'Abwyd?' holodd Moi.

'Dyna dwi'n ei ddefnyddio i ddenu'r pysgod.'

Aeth Taid i gornel o'i sied lle roedd oergell fach. Tynnodd un tun mawr ac un tun bach allan ohoni. Agorodd y tun bach, ac roedd cannoedd o gynrhon bach gwyn yn gwingo'n aflonydd ar draws ei gilydd.

Ha ha, meddyliodd Moi dan wenu. Petai Martha ac Anwen yma rŵan mi fyddai'r sgrechfeydd i'w clywed yn Iwerddon.

'Beth am y tun arall?' gofynnodd Moi, wedi bywiogi drwyddo.

'Math arall o abwyd sydd yn hwn,' meddai ei daid wrth agor y tun mawr.

Agorodd llygaid Moi led y pen wrth weld cynnwys y tun. Degau o bryfed genwair yn un cwlwm mawr coch a brown llithrig.

Doedd pysgota ddim mor ddiflas wedi'r cwbl.

Wedyn estynnodd ei daid ddau dun arall, a rhoi rhywfaint o'r cynrhon gwyn yn un tun a rhywfaint o'r pryfed genwair yn y llall.

'Dyma dy abwyd di, yli. Cofia di neud yn siŵr bod y caead wedi'i gau yn dynn bob amser.'

'Iawn, Taid,' meddai Moi yn gyffrous. Erbyn hyn, fyddai o'n bendant ddim yn deud ei fod o MISHO pysgota!

Ar ôl cyrraedd y llyn, cafodd Moi wers ar sut i ddefnyddio gwialen bysgota a sut i roi abwyd ar fachyn. Roedd o wrth ei fodd yn rhoi ei ddwylo yng nghanol y cynrhon gwyn a'u teimlo nhw'n cosi blaenau'i fysedd.

Eisteddodd y ddau ar eu cadeiriau yn disgwyl am bysgod. Roedd cyffro mawr pan ddaliodd Taid frithyll anferthol.

Ar ôl tua hanner awr dechreuodd gwialen Moi aflonyddu.

'Ti wedi dal rhywbeth, Moi!' meddai ei daid yn falch.

Tynnodd Moi y wialen i fyny. Roedd yntau wedi dal brithyll go fawr.

'Da iawn chdi, Moi,' meddai ei daid wrth helpu i dynnu'r brithyll tuag atynt.

'Fasat ti'n hoffi dod i bysgota eto, Moi?' gofynnodd ei daid ar y ffordd adref.

'Yn bendant,' atebodd Moi.

'Tro nesa, mi gei di dy hun fynd i'r ardd i hel y pryfed genwair.'

'Grêt,' atebodd Moi, wrth ei fodd. Roedd o wedi cymryd at y pysgota 'ma go iawn.

Mi gawson nhw frithyll wedi ffrio a sglodion i de, a bwytodd pawb bob tamaid.

* * *

Cyrhaeddodd Moi adref ar y pnawn dydd Sul, a chael croeso mawr.

'Hei, well i ti fynd i ddadbacio, rydan

ni'n cychwyn am y Royal Welsh bora fory,' meddai Anwen. 'Gyda llaw, mae Mam yn ei gwely'n cysgu. Tria beidio gwneud sŵn.'

'Yn ei gwely?'

'Wedi cael bỳg,' atebodd Anwen.

'O bechod,' meddai Moi'n bryderus.

Ar ôl i Moi ddweud ei hanes, roedd Anwen yn awyddus i ddangos y garafán iddo.

'Ydi hi'n barod?' gofynnodd Moi.

'Ydi. Fan hyn fyddi di'n cysgu.'

'Waw!' meddai Moi, yn llawn cyffro.

Ar ôl mynd i'w lofft i ddadbacio, sylwodd Moi fod y bag pysgota yn ei gês. Wrth dynnu'r bocs bwyd ohono, gwelodd fod dau dun yng ngwaelod y bag. O na! Roedd wedi anghofio rhoi'r cynrhon a'r pryfed genwair yn ôl yn oergell Taid!

Roedd Moi mewn penbleth. Ble ar y ddaear roedd o'n mynd i'w cadw?

Bu'n meddwl a meddwl. A meddwl a meddwl eto.

Yna cafodd Y Syniad Perffaith.

* * *

Y bore wedyn daeth sgrechfeydd a gwichian dychrynllyd o gyfeiriad y garafán.

'Be sy?' gwaeddodd Myrddin wrth redeg allan.

Roedd wyneb Martha'n wyn fel petai wedi gweld ysbryd, ac Anwen yn edrych yn sâl.

'Aeth Martha a fi i roi bwyd yn oergell y garafán am fod Mam wedi bod yn sâl, a . . .'

'. . . ac mae'r oergell yn llawn o ych-a-fis,' meddai Martha wedyn yn ddagreuol.

Pan agorodd Myrddin ddrws yr oergell yr unig beth allai o weld oedd cynrhon bach gwyn aflonydd yn crwydro'n brysur dros bob man.

Daeth Rhiannon allan o'r tŷ yn ei gŵn nos.

'Roedd yr oergell yn wag ddoe! Drychwch, Mam,' meddai Martha.

'Bobol bach,' meddai Rhiannon, gan droi'n wynnach nag roedd hi cynt.

'Dwi byth yn mynd i mewn i'r garafán eto,' cwynodd Anwen.

'Na fi,' ychwanegodd Martha.

Pan welodd Myrddin y tuniau pysgota ar silff uchaf yr oergell, roedd yn gwybod YN UNION beth oedd wedi digwydd

'MOI MAWRTH!' gwaeddodd, wrth gamu'n ddig i lofft ei fab.

Pan gyrhaeddodd ei dad y llofft, rhoddodd Moi'r argraff nad oedd ganddo 'run syniad beth oedd wedi digwydd. Roedd wedi ymolchi a newid ac wrthi'n gwneud cerdyn 'Brysiwch Wella' i'w fam. Ar ei flaen roedd llun o bawb wrth ymyl y garafán, ac ar y tu mewn roedd y neges hon:

I'r Fam Orau yn y Byd.

Brysiwch wella.

Cariad mawr,

Moi

(caru chi) XXXXXX

Ar ôl gweld neges mor hyfryd, roedd hi braidd yn anodd i Myrddin roi ffrae anferthol iddo fo.

'Wel, da iawn ti, Moi, am feddwl am dy fam fel'na. Ond pam ar wyneb daear gwnest ti gadw cynrhon a phryfed genwair yn oergell y garafán?' gofynnodd.

Edrychodd Moi yn euog ar ei dad.

'Doeddat ti ddim wedi cau'r caead yn ddigon tyn ac maen nhw wedi crwydro dros yr oergell i gyd.'

'Mae'n ddrwg gen i,' atebodd Moi yn ddistaw, a'i lygaid mawr glas yn syllu'n syn ar ei dad. 'Ro'n i'n meddwl bod fanno'n well nag oergell y tŷ,' ychwanegodd yn ddistawach byth.

'O, Moi!' griddfanodd ei dad. 'Dwn i ddim wir sut dwi'n mynd i berswadio Anwen a Martha i ddod i'r Royal Welsh rŵan, heb sôn am dy fam.'

Penderfynodd ei dad aros am ddiwrnod arall cyn mynd i'r sioe er mwyn i Rhiannon wella'n iawn. Byddai'n cymryd diwrnod cyfan i berswadio Anwen a Martha fod y cynrhon wedi mynd o'r garafán, beth bynnag.

'Arna i mae'r bai na 'dan ni ddim yn y Royal Welsh, yndê?' meddai Moi wrth y bwrdd swper y noson honno.

'Naci,' atebodd Rhiannon, a oedd yn teimlo'n well erbyn hyn. 'Arna i mae'r bai.'

Edrychodd y plant ar ei gilydd.

'Mae ganddon ni newyddion i chi. Rydan ni'n mynd i gael babi,' meddai hi dan wenu.

'Hwrê!' gwaeddodd Anwen a Martha.

'Dyna be sy wedi gwneud Mam chydig yn sâl, blantos,' ychwanegodd eu tad.

Gwenodd y tri yn ôl arno. Roedd y newyddion yn plesio!

Yn nes ymlaen, pan oedd Rhiannon ar ei phen ei hun, aeth Moi ati. 'Mae'n ddrwg iawn gen i'ch dychryn chi efo'r dysan 'na, ac wedyn efo'r cynrhon,' medda fo.

'Mae'n iawn, siŵr,' atebodd ei fam.

'Dwi'm 'di gneud drwg i'r babi, naddo?'

'Naddo siŵr, 'y nghariad i.'

'Mam?' gofynnodd Moi wedyn.

'Ia, Moi?'

'Hogyn *fydd* y babi 'ma, yndê?'

7

Moi Misho a'r babi newydd

Dim ond dau ddiwrnod i fynd tan Fawrth 30!

Dyna pryd roedd y babi newydd i fod i gyrraedd. Ond roedd Moi Misho ei hun yn cael ei ben-blwydd ar Fawrth 31 – ac roedd o'n poeni braidd y byddai'r babi'n cyrraedd ar ddiwrnod ei ben-blwydd o.

Roedd Anwen a Martha'n edrych ymlaen yn ofnadwy. Ond ddim hanner cymaint â Moi! Roedd Moi bron yn sicr mai bachgen bach oedd ar y ffordd. Byddai'n *wych* cael brawd bach, breuddwydiodd.

Roedd ei fam wedi bod yn brysur yn

glanhau a pharatoi ar gyfer y babi newydd. Erbyn hyn roedd llofft y babi'n barod, a'r cwpwrdd yn llawn o ddillad bach gwyn a melyn.

Doedd dim sôn am y babi ar Fawrth 30, er mawr siom i'r plant.

Deffrodd Moi fel ceiliog y diwrnod wedyn, bore'i ben-blwydd.

'Pen-blwydd hapus,' sibrydodd ei dad wrth ddod i lofft Moi ar ôl clywed ei fab yn cadw sŵn yno. 'Ond Moi bach, dim ond hanner awr wedi pump ydi hi! Well i ti fynd yn ôl i gysgu.'

Cytunodd Moi i aros yn ei wely ac aeth yn ei ôl i gysgu. Cafodd ei ddeffro am naw o'r gloch gan lais Martha Mai yn gweiddi:

'Moi! Moi! Pen-blwydd hapus!'

'Diolch, Martha,' atebodd Moi yn gysglyd.

Ar ôl dod ato'i hun, cododd yn sydyn o'i wely. Rhedodd i'r gegin lle roedd ei dad yn paratoi brecwast. Roedd o newydd gofio rhywbeth pwysig.

'Mae hi'n ddydd Sadwrn! Mae gen i gêm bêl-droed bore 'ma!'

'Oes wir?' gofynnodd ei dad.

'Oes!'

'Reit, llyncwch y brecwast 'ma'n reit sydyn, bawb. Mi fydd raid i ti wisgo rwbath-rwbath am heddiw, Moi, a newid i'r cit ar ôl cyrraedd yno,' meddai ei dad.

Rhedodd Moi i'w lofft fel cath wyllt. Estynnodd ei fag pêl-droed a'i agor. Dim ond y crys oedd ynddo fo! 'O na!' gwaeddodd.

'Paid â gwneud sŵn. Mae Mam yn cysgu,' meddai Anwen wrth fynd heibio i lofft ei brawd ar wib.

Daeth Martha i'r llofft wedyn a gweld bod Moi mewn panig.

'Dwi'n methu dod o hyd i fy nillad pêl-droed!'

Yna cofiodd yn sydyn fod ei fam wedi dweud eu bod yn y peiriant sychu dillad.

'Martha, plis ei di i nôl fy sanau a'n shorts a'n *shin pads* i o'r peiriant sychu?' gofynnodd iddi, gan ei bod hi'n barod wedi gwisgo amdani.

'Iawn, Moi.'

Pan ddaeth Martha yn ei hôl, roedd Moi wedi molchi ac wedi gwisgo'r dillad oedd ganddo fo'r diwrnod cynt.

'Dyma nhw iti, Moi.'

'O diolch, Martha,' meddai'i brawd yn glên, a stwffio'r cwbl i'w fag pêl-droed.

'Ydach chi'n barod?' gofynnodd Anwen o'r drws.

'Ydan,' atebodd Moi.

Neidiodd pawb i'r car ac i ffwrdd â nhw tua'r neuadd chwaraeon. Brysiodd Moi i mewn i'r ystafell newid. Dechreuodd sgwrsio efo Tomos wrth dynnu'i ddillad allan o'r bag. Doedd o ddim wedi sylwi bod rhai o'r bechgyn eraill yn chwerthin am ei ben.

'Be ydi hwnna, Moi?!' gofynnodd Callum a'i law dros ei geg, yn chwerthin cymaint.

'Be?' gofynnodd Moi'n ddryslyd.

Pwyntiodd Callum at law Moi. Edrychodd Moi ar ei law. Roedd yn cydio yn un o'r *shin pads*. Ond, yn anffodus, roedd 'na rywbeth pinc wedi mynd yn sownd yn y felcro.

Be ar y ddaear oedd *leotard* bale Martha'n da yn sownd wrth ei *shin pad*? Trodd bochau Moi Misho'n fflamgoch. Tynnodd y peth pinc oddi ar ei *shin pad* a'i stwffio i'w fag pêl-droed yn sydyn.

'GRRRRR! MARTHA MAI!' chwyrnodd Moi wrtho'i hun. Yn ei brys, mae'n rhaid nad oedd Martha wedi sylwi bod y *leotard* pinc yn sownd yn y *shin pad*.

Am gythraul o ben-blwydd oedd hwn hyd yn hyn!

Yn y pnawn cafodd Moi barti bach efo'r teulu, Tomos ei ffrind gorau, a Jac a Medi drws nesa.

Wrth osod y bwyd allan estynnodd ei fam am y cacennau bach. Sylwodd Moi fod 'na bant gwag yng nghanol pob un lle dylai wy siocled fod. 'Be sy 'di digwydd i'r cacennau?' gofynnodd yn siomedig.

'Ddim fi nath!' meddai Martha, yn amlwg yn dweud celwydd.

'Paid â phoeni, Moi, mae 'na fwy yn fan'ma,' meddai ei fam wrth agor y cwpwrdd, ond roedd y paced yn wag.

Martha eto! meddyliodd Moi. 'Ti mewn trwbwl rŵan!' meddai wrthi.

'Ond Anwen gafodd y rhan fwya,' cwynodd Martha.

Ar ôl i bawb gael digonedd o fwyd, roedd Martha eisiau canu'r gân roedd hi wedi'i chanu yn y cyngerdd Gŵyl Dewi'n ddiweddar.

Reit! meddyliodd Moi. Mi ga' i ddial ar Martha rŵan. Rhwng y *leotard* pinc a'r wyau siocled . . .

Felly, tra oedd ei fam yn ceisio gwneud ei hun yn gyfforddus wrth y piano, sleifiodd Moi i'r llofft.

Aeth Martha i sefyll i ganol yr ystafell ar gyfer y perfformiad, a dechreuodd Rhiannon gyfeilio. Ond wrth i Martha daro'r nodyn cyntaf, a'i cheg yn llydan agored, daeth sŵn trwmped aflafar i lenwi'r ystafell.

'DWWWWWWWW!'

Roedd y sŵn yn ddigon i ddrysu Martha Mai yn llwyr.

'Moi!' rhybuddiodd ei dad o'r soffa.

Dechreuodd Rhiannon gyfeilio eto, ac fel roedd Martha'n agor ei cheg i ganu am yr eildro . . .

‘DWWWWWWWWWWWWW!’ seiniodd y trwmped yn groch eto, fel rhyw long fawr yn gadael yr harbwr.

‘MOI MAWRTH!’ gwaeddodd ei dad.

‘Dim ond trio cyfeilio iddi ro’n i,’ atebodd Moi’n ddiniwed.

* * *

Ar ôl yr holl aros, fe gyrhaeddodd y babi – Elan Ebrill – ar Ebrill y seithfed. Roedd Myrddin wedi bod yn yr ysbyty trwy’r nos, ac wedi dod yn ei ôl y bore wedyn i ddweud y newyddion da wrth bawb. Nesta drws nesa oedd wedi bod yn gwarchod Anwen, Moi a Martha.

Er bod Moi’n falch fod ei chwaer fach newydd wedi cyrraedd yn saff, roedd wedi gobeithio cael brawd ac roedd yn teimlo fymryn yn siomedig.

Aeth eu tad â’r plant bron yn syth wedyn i ffair wanwyn y capel. Ar ôl hynny roedden nhw am gael mynd i'r ysbyty i gyfarfod â'r babi newydd.

Yn festri'r capel roedd pawb yn eu llongyfarch, a daeth athrawes yr ysgol Sul at Moi. 'Ti wedi cyfarfod dy chwaer fach eto?' gofynnodd yn garedig.

'Brawd bach gafon ni,' meddai Moi.

'Brawd bach? O, a finna'n meddwl mai Elan Ebrill oedd Anwen wedi'i ddeud oedd yr enw.'

'Na. Elgan Ebrill ydi'i enw fo,' meddai Moi, a'i lygaid mawr glas yn edrych yn ddifrifol arni.

'O wela i,' meddai hithau'n ddryslyd. 'Mae'n rhaid bod fy nghlyw i'n dechrau mynd. Henaint!' meddai, gan droi at y gweinidog a chwerthin.

'A be ydi enw'r babi newydd, Moi?' holodd ffrind ei nain wedyn, wrth blannu cusan wlyb anferthol ar ei foch efo'i cheg sws fawr, goch.

'Elgan Ebrill,' atebodd Moi, gan sychu'i foch efo'i lewys o'i blaen.

'O?' gwenodd y wraig fach yn ddryslyd.

Ar ôl i Moi fynd yn ei flaen i rywle arall, trodd y wraig at y ddynes yn ei hymyl. 'Dwi'n siŵr fod ei chwaer fach o wedi dweud mai merch gawson nhw.'

Pan ddaeth Mona Llewelyn, cyfnither ei nain, at Moi, gan fwriadu plannu'i gwefusau mawr coch tywyll ar ei foch, penderfynodd Moi blygu i glymu carrai ei esgid. Roedd o wedi cael digon o swsys coch, gwlyb am un diwrnod, diolch yn fawr.

'Helô, cariad. A sut mae'r chwaer fach?'

'Brawd bach gawson ni.'

'Naci, wir! Chwaer – Elan Ebrill,' meddai Mona Llewelyn yn uchel ei chloch.

'Na, brawd – Elgan Ebrill,' meddai Moi yn dawel, yn methu'n glir â dallt pam na allai hithau hefyd siarad yn dawel yn lle gweiddi dros y lle a thynnu sylw.

Ond roedd Martha Mai yn glustiau i gyd ac wedi clywed y sgwrs. Erbyn hyn roedd 'na ddryswch mawr yn yr ystafell. Rhai yn dweud 'merch', eraill yn dweud 'bachgen'. Doedd neb yn siŵr iawn beth oedd wedi cyrraedd! Roedd Moi'n falch o gael gadael y lle, wir.

'Fedra i'm disgwl i gael gweld Elan Ebrill,' meddai Anwen ar y ffordd i'r ysbyty.

'Na finna. Rydw i wedi dod â Lili efo fi iddi gael gweld y babi newydd,' meddai Martha, gan roi cusan i'w doli newydd. 'Hon ydi fy hoff ddol ohonyn nhw i gyd.'

'Fedar Lili ddim gweld Elan, a fedar Elan ddim gweld Lili, sili!' meddai Moi.

'Cau dy geg, Moi,' meddai Martha'n awdurdodol. 'Ac eniwe, mae 'na rai pobl yn y ffair wanwyn yn meddwl mai *hogyn* ydi'r babi newydd.'

'Be?! No wêêêê!' chwarddodd Anwen.

'Ydyn!' mynnodd Martha wedyn.

'Be ti'n feddwl, Martha?' holodd ei thad.

'Am mai hogyn oedd Moi eisio, mae o wedi dweud wrth bawb ein bod ni wedi cael hogyn bach o'r enw Elgan Ebrill.'

'Moi!' ebychodd Anwen.

'Ti mewn trwbwl go iawn,' sibrydodd Moi wrth Martha. Yna pwyntiodd at y ddol a deud, 'A chditha hefyd, Lili!'

Roedd ei dad mewn picil. Petai o'n dweud y drefn wrth Moi, mae'n bosib y gallai hynny ei droi yn erbyn y babi.

'Wel, dwi'n siŵr fod *Elan* Ebrill yn edrych ymlaen yn ofnadwy at weld ei brawd mawr,' meddai, wedi penderfynu maddau i Moi am y canfed tro.

Pan gyrhaeddon nhw'r ward, roedd Rhiannon yn gorwedd ar y gwely ac Elan Ebrill mewn crud plastig clir gerllaw.

'Helô,' meddai Rhiannon yn wên i gyd, gan roi sws i bawb.

Edrychodd Moi ar ei chwaer fach yn

cysgu'n sownd. Roedd hi'n beth bach digon del, a deud y gwir.

'Wel, rydan ni wedi bod yn edrych ymlaen at eich gweld chi, yndô, Elan?' meddai Rhiannon, gan godi Elan o'r crud i'w dangos yn iawn i bawb. 'Ac mae ganddi anrheg fach i chi'ch tri.'

Rhoddodd Myrddin ei law mewn bag mawr a thynnu allan anrheg yr un i'r tri.

Martha agorodd ei hanrheg yn gyntaf. 'Dol! O diolch, Elan,' gwenodd yn hapus. 'Enw'r ddol yma fydd . . . Cara!'

'Dwi 'di cael gêm Nintendo. Diolch, Elan,' gwenodd Anwen yn ddiolchgar. 'Be ti di'i gael, Moi?'

Agorodd Moi ei barsel. Daeth gwên lydan dros ei wyneb. Lego Harry Potter! Roedd o wedi bod eisiau Lego Harry Potter ers misoedd. Roedd o wrth ei fodd, ac Elan Ebrill wedi plesio'n arw.

‘Diolch, Elan Ebrill,’ meddai Moi, gan blygu i lawr i roi sws ar ei boch.

Gwenodd Myrddin a Rhiannon ar ei gilydd.

‘Gwrandwch,’ meddai Myrddin wedyn, ‘mae ganddon ni newydd arall i chi. Ydach chi’n cofio i ni sôn fod y tŷ drws nesa ond un ar werth?’

‘Ia . . .?’ atebodd y tri.

‘Wel, wyddost ti be, Moi?’

‘Be?’

‘Mae’n debyg fod gan y cwpl sy wedi prynu’r tŷ bedwar o hogia.’

Gwenodd Moi fel giât. Roedd hwn yn ddiwrnod a hanner.

Pedwar o hogia?

Byddai’n gamp iddo gadw un cam ar y blaen i BEDWAR o hogia!